LÍNGUA PORTUGUESA

LÍNGUA PORTUGUESA

1. Qual o princípio da física?
2. **Qual o futuro do verbo "matar"?**
3. Qual é o futuro do verbo "queimar"?
4. O que é, o que é? Não anda, mas pode circular o mundo?
5. Quando é correto dizer "eu é"?
6. O que está acima de nós?
7. Qual o contrário de titia?

RESPOSTAS: 1. A letra F. 2. Ir para a cadeia. 3. Fumaça. 4. A notícia. 5. Quando você diz: "eu é um pronome". 6. O acento agudo. 7. Ti noiti.

LÍNGUA PORTUGUESA

8. Como dizer os cinco dias da semana sem falar: segunda-feira, terça-feira, quarta-feira, quinta-feira, sexta-feira?

9. A mãe de Maria tinha cinco filhas: Lalá, Lelé, Lili e Loló. Qual é o nome da quinta filha?

10. O que é, o que é? Está presente em todos os meses do ano, exceto no mês de abril?

11. **O que é, o que é? Consegue voar usando somente suas forças, mas, quando perde uma letra, só voa com motor?**

12. Como o asterisco faz para entrar na festa do ponto-final?

13. A letra "D" foi à formatura e ninguém a reconheceu. Por quê?

RESPOSTAS: 8. Ontem, antes de ontem, hoje, amanhã e depois de amanhã. 9. Maria. 10. A letra O. 11. O (g)avião. 12. Passa geli 13. Porque estava de-formada.

LÍNGUA PORTUGUESA

14. *Maria de Melo Mendonça mentiu quando disse que os meninos não mamam no mês de maio.* Aqui, tem quantos emes?

15. O que é, o que é? Devemos colocar embaixo da forca para que o condenado não morra?

16. O que é o que é? O do carrapato é maior do que do boi?

17. O que é, o que é? A única letra que não está no seu próprio nome?

18. O que é, o que é? A palavra que é sempre pronunciada errada?

19. O que é, o que é? O lugar onde sempre se encontra solidariedade?

20. O que é, o que é? Não existe, mas tem um nome?

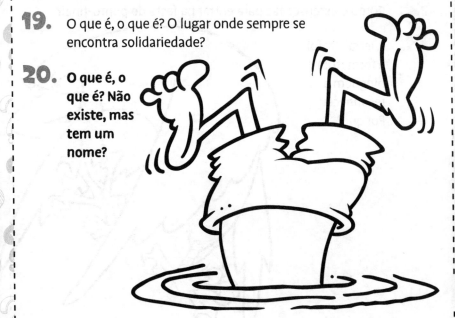

RESPOSTAS: 14. "Aqui" não tem eme. 15. Uma cedilha. 16. O nome. 17. H (agá) 8. Errada. 19. No dicionário. 20. Nada.

LÍNGUA PORTUGUESA

21. O que é, o que é? Em todos tem dois, em você tem um e em mim não tem nenhum?

22. **O que é, o que é? É grande no Brasil e pequeno em Cuba?**

23. O que é, o que é? Bicicleta tem duas e o carro só tem uma?

24. Qual a palavra que tem uma ruga de rancor na testa?

25. Quando é que você engole suas palavras?

26. O que é, o que é? A palavra que nunca fala a verdade?

27. O que é, o que é? O antônimo de simpatia?

RESPOSTAS: 21. a letra O. 22. A letra b. 23. A letra c. 24. Não. 25. Quando você toma sopa de letrinhas. 26. Somente. 27. Não pra tio.

LÍNGUA PORTUGUESA

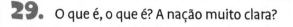

28. O que é, o que é? A nação mais louca?

29. O que é, o que é? A nação muito clara?

30. O que é, o que é? O contrário de verde?

31. O que é, o que é? A nação que chegou ao fim?

32. O que é, o que é? A nação que se curva?

33. O que é, o que é? A nação fantasiosa?

34. O que é trova?

RESPOSTAS: 28. Alucinação. 29. Iluminação. 30. Maduro. 31. Terminação. 32. Inclinação. 33. Imaginação. 34. É a mulher do trovão.

LÍNGUA PORTUGUESA

35. O que é, o que é? A palavra de seis letras em que, se tirando uma nota musical, sobram nove?

36. O que é, o que é? Falta no Rio para fazer frio?

37. O que é, o que é? A palavra de seis letras que tem mais de quarenta acentos?

38. **O que é, o que é? As meninas têm, e os meninos, não?**

39. O que é, o que é? O material escolar que mostra a parte do seu corpo que dói?

40. Qual a palavra de sete letras da qual, se tirarmos cinco, ficam onze?

RESPOSTAS: 35. Novela (Tirando o "la"). 36. a letra F. 37. Ônibus. 38. A letra A. 39. Aponta-dor. 40. Abaca-xI.

LÍNGUA PORTUGUESA

41. O que é, o que é? A cidade selvagem?

42. O que é, o que é? A cidade venturosa?

43. O que é, o que é? A cidade mais apressada?

44. Onde é que deve ficar o ponto de ônibus?

45. O que é, o que é? A cidade verdadeira?

46. O que é, o que é? A cidade genuína?

47. O que é, o que é? A cidade rústica?

RESPOSTAS: 41. Ferocidade. 42. Felicidade. 43. Velocidade. 44. Em cima do I. 45. Veracidade. 46. Autenticidade. 47. Rusticidade.

LÍNGUA PORTUGUESA

48. Qual é o certo: eu "roubo" ou eu "robo"?

49. O que é, o que é? O tempo verbal que se acha superior aos outros?

50. O que é, o que é? O cara que se põe sobre a cabeça?

51. O que é, o que é? O cara que está sempre enroscado?

52. O que é, o que é? O cara que está nas Antilhas?

53. Qual é a cidade maldosa?

54. O que é, o que é? O cara que navega?

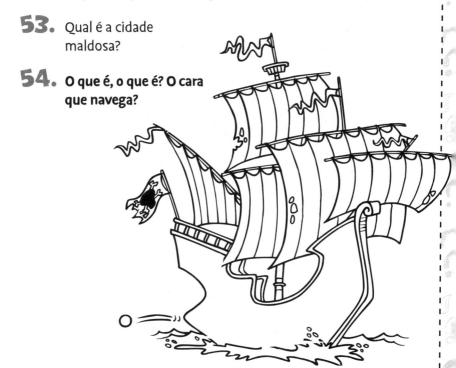

RESPOSTAS: 48. O certo mesmo é não roubar. 49. O pretérito mais que perfeito. 50. Cara-puça. 51. Caracol. 52. Caraíba. 53. Atrocidade. 54. Cara-vela.

LÍNGUA PORTUGUESA

55. Como um escritor termina um romance?

56. O que é, o que é? O mar que causa admiração?

57. O que é, o que é? Os pingos que nunca molham?

58. Por que a palavra umbigo se chama assim?

59. **Quando é que onze e onze são líquidos?**

60. O que é, o que é? A arara tem três, mas a pata só tem duas?

61. O que é, o que é? O mar que cheira bem?

RESPOSTAS: 55. Com um ponto final. 56. Mar-avilha. 57. Os pingos do i. 58. Porque é um só. Se fossem dois, seriam doisbigos, trêsbigos... 59. Quando formam a palavra xixi. 60. Sílabas. 61. O mar de rosas.

LÍNGUA PORTUGUESA

62. O que é, o que é? O dente conhecido por sua impulsividade?

63. O que é, o que é? O dente que está inclinado a fazer alguma coisa?

64. O que é, o que é? O dente que está sempre com uma expressão agradável?

65. O que é, o que é? Tem no chão e também colocamos no pão?

66. O que é, o que é? O dente que sempre comete os mesmos erros?

67. O que é, o que é? O dente que está em franco declínio?

68. O que é, o que é? O dente que é mais solícito?

RESPOSTAS: 62. Impru-dente. 63. Propen-dente. 64. Sorri-dente. 65. O til. 66. reinci-dente. 67. deca-dente. 68. aten-dente.

LÍNGUA PORTUGUESA

69. O que o Antônio e o anônimo são um do outro?

70. Por que o garoto enfiou a mão na sopa de letrinhas enquanto fazia os deveres de casa?

71. Como é que se pode escrever um palavrão com sete letras?

72. O que é, o que é? Na horta é flor; na bandeja é doce e no peito é respiração forte?

73. O que é, o que é? Diminui conforme as ideias aumentam?

RESPOSTAS: 69. Antônimos, porque o Antônio é conhecido, não anônimo. 70. Porque ele estava procurando a palavra exata. 71. Com a caneta. 72. Suspiro. 73. O lápis.

LÍNGUA PORTUGUESA

74. O que é, o que é? O dente que não tem vida própria?

75. O que é, o que é? O dente que possui visão sobrenatural?

76. O que é, o que é? Sempre anda em par no carrossel?

77. O que é, o que é? Começa na mata, vai à ponta da nuvem e termina no jardim?

78. O que é, o que é? O dente que sempre chega antes?

79. O que é, o que é? O dente que enxerga mais claro?

80. O que é, o que é? O dente que pensa no amanhã?

RESPOSTAS: 74. Depen-dente. 75. Vi-dente. 76. O rr e o ss. 77. IA letra M. 78. Prece-dente. 79. Clarivi-dente. 80. Previ-dente.

LÍNGUA PORTUGUESA

81. O que é, o que é? O dente que é mais sarcástico?

82. Em português, alfabeto tem quantas letras?

83. O que é, o que é? O dente que discorda de todos os outros?

84. O que é, o que é? O dente ao qual se confia todos os segredos?

85. O que é, o que é? O dente que estava fora dos planos?

86. O que é, o que é? O dente que não pensa no futuro?

87. O que é, o que é? Tem quatro sílabas e vinte e seis letras?

RESPOSTAS: 81.Mor-dente.82. Oito.83.Dissi-dente.84.Confi-dente.85. Aci-dente. 86. Impru-dente.87.O alfabeto.

LÍNGUA PORTUGUESA

88. Por que uma ferramenta e uma peça de pescar sustentam uma casa?

89. O que é, o que é? Com L vive no céu, com N pouco se vê, com R é de todo mundo e com S é de você?

90. O que é, o que é? Com B é de comer, com S é de recepcionar, com F é de se dizer e com M é de carregar?

91. O que é, o que é? Com P é feito de trigo, com M é parte da gente, com S é muito saudável e com C é muito valente?

92. O que é, o que é? Com M pode pensar, com L pode se ver, com P pode te enfeitar e com D pode até morder?

93. O que é, o que é? A letra que vem depois da letra "A" no alfabeto?

RESPOSTAS: 88. Porque formam a pá-rede. 89. Lua, nua, rua, sua. 90. Bala, sala, fala, mala. 91. Pão, mão, são, cão. 92. Mente, lente, pente, dente. 93. Todas, ela é a primeira.

LÍNGUA PORTUGUESA

94. O que é um camelô?

95. Qual é o sujeito da frase "proibido estacionar?"

96. O que é, o que é? O gafanhoto traz na frente e a pulga traz atrás?

97. O que é, o que é? Se quebra só de se pronunciar o nome?

98. Que cara é molusco marítimo?

99. O que é, o que é? A cidade hipócrita?

100. O que é, o que é? A cara que dá tiros?

RESPOSTAS: 94. Um camelo de chapéu. 95. Sujeito a guincho. 96. A sílaba "ga". 97. O silêncio. 98. Cara-mujo. 99. Duplicidade. 100. Cara-bina.